Título original: *Super Bite-Size Builds*
Editado por HarperCollins Ibérica, S. A., 2024
Avenida de Burgos, 8B – Planta 18
28036 Madrid
harpercollinsiberica.com

© de la traducción: Raúl Sastre, 2024
© de esta edición: HarperCollins Ibérica, 2024

MOJANG
STUDIOS

Publicado originalmente por HarperCollinsPublishers, 1
Macken House, 39/40 Mayor Street Upper,
Dublin 1, D01 C9W8, Ireland

Texto de Thomas McBrien
Ilustraciones de Joe McLaren
Agradecimientos a Sherin Kwan, Alex Wiltshire, Jay Castello y Milo Bengtsson

Este libro es creación original de Farshore

ISBN: 978-84-10021-64-8
Depósito legal: M-508-2024

Maquetación: Gráficas 4
Adaptación de cubierta: equipo HarperCollins Ibérica

Impreso en Italia

SEGURIDAD *ONLINE* PARA LOS MÁS JOVENES
¡Pasar el rato *online* es muy divertido! Os proponemos unas reglas sencillas para vuestra seguridad.
Es responsabilidad de todos que Internet siga siendo un lugar genial.
– Nunca des tu verdadero nombre ni lo pongas en tu nombre de usuario.
– Nunca facilites información personal.
– Nunca le digas a nadie a qué colegio vas ni cuántos años tienes.
– No des a nadie tu contraseña excepto a tus padres o tutores.
– Recuerda que debes tener 13 años o más para crear una cuenta en muchas webs.
– Lee siempre la política de privacidad y pide permiso a tus padres o tutores antes de registrarte.
– Si ves algo que te preocupa o te molesta, díselo a tus padres o tutores.
Protégete *online*. Todas las páginas web que aparecen en este libro son correctas en el momento
de la impresión. Sin embargo, HarperCollins no se hace responsable del contenido de terceros.
Recuerda que el contenido *online* puede cambiar y hay páginas web cuyos contenidos no son
adecuados para niños. Recomendamos que los niños solo accedan a Internet bajo supervisión.

Producto de papel FSC™ certificado de forma independiente
para garantizar una gestión forestal responsable.

MIX
Paper
FSC
www.fsc.org FSC™ C007454

MINECRAFT

MINI-CONSTRUCCIONES ASOMBROSAS

CON MÁS DE 20 ÉPICOS PROYECTOS

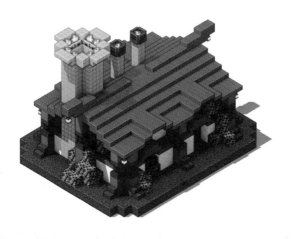

ÍNDICE

INTRODUCCIÓN

¡Bienvenido a la tercera entrega de Miniconstrucciones! En este libro, encontrarás 20 nuevos miniproyectos muy divertidos que podrás construir en Minecraft. ¡Desde iglús que sirven de escondite o invernaderos hechos con bloques de barro hasta juegos muy peligrosos!

Da igual lo bueno que seas como jugador, siempre hay cosas que aprender en Minecraft. Gracias a sus diagramas detallados y sus instrucciones paso a paso, este libro te guiará para que puedas construir más de 20 miniproyectos únicos, a la vez que te proporcionará consejos muy útiles para que puedas llevarlos a cabo de un modo muy fácil. Las construcciones serán muy variadas: las habrá pequeñas y grandes, y también sencillas y complicadas. Para obtener más información al respecto, consulta el nivel de dificultad en cada construcción.

Exprime tu creatividad y deja tu huella en estos proyectos. Si crees que tu construcción tendrá un aspecto mejor usando unos bloques distintos o modificando su diseño, hazle caso a tu instinto y dale tu propio toque. No tardarás en mostrar tu increíble talento al mundo que te rodea.

CONSEJOS GENERALES DE CONSTRUCCIÓN

¡Echa un vistazo a las construcciones increíbles incluidas en este libro! Hay un proyecto para ti, sin importar lo hábil que seas. Comienza con algo sencillo o atrévete con los proyectos más difíciles. ¡Tú decides! Aquí tienes algunos consejos para dar tus primeros pasos.

EL MODO CREATIVO

Jugar en modo Creativo es la forma más fácil de construir en Minecraft, ya que tendrás acceso ilimitado a todos los bloques del juego y podrás quitar bloques instantáneamente. Si te gustan los desafíos, puedes construir estas estructuras en modo Supervivencia, ¡pero tardarás mucho más y necesitarás más preparación!

PREPÁRATE PARA CONSTRUIR

Antes de iniciar un proyecto, tómate tu tiempo para leer las instrucciones. Piensa bien dónde quieres colocar la construcción y cuánto espacio vas a necesitar. ¡Cuanto más espacio, mejor!

BLOQUES TEMPORALES

Los bloques temporales son perfectos para contar espacios y colocar objetos flotantes. También te ayudarán a ubicar los bloques más complicados.

Usa bloques de colores para medir los espacios. Esta fila representa 13 bloques: 5 verdes + 5 amarillos + 3 verdes.

Utilízalos para colocar los bloques flotantes.

LAS BARRAS ACTIVAS

Antes de iniciar un proyecto, coloca los bloques que vayas a usar en tu barra activa para acceder rápidamente a ellos. Si te falta espacio, puedes guardar hasta nueve barras activas en la ventana del inventario.

COLOCACIÓN DE BLOQUES

Colocar un bloque junto a uno interactivo, como una mesa de encantamientos, puede ser complicado, ya que al hacer clic para colocarlo, interactuarás con el bloque interactivo. Pero hay un truco: agáchate antes de hacer clic para colocar el bloque. ¡Así de simple!

EL PORTAL DEL ARMARIO

Este armario es mucho más de lo que parece a simple vista. Si abres sus enormes puertas y dejas atrás sus estandartes... ¡serás transportado al Inframundo! Este armario oculta un portal del Inframundo y lo dota de magia y misterio.

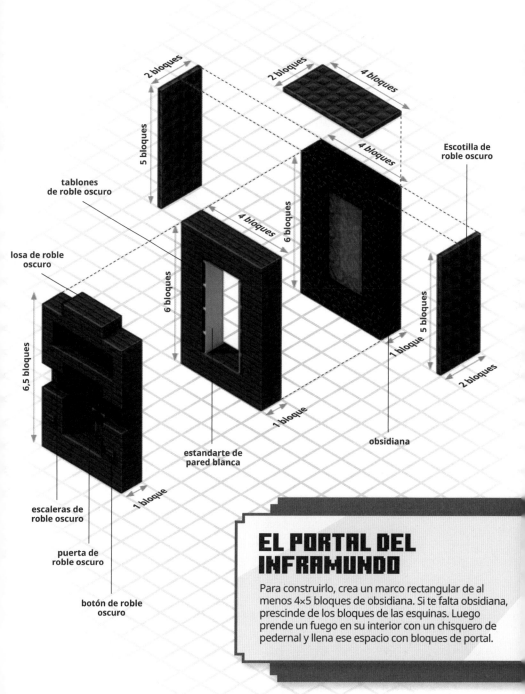

2 bloques

2 bloques

4 bloques

5 bloques

4 bloques

tablones de roble oscuro

6 bloques

Escotilla de roble oscuro

4 bloques

losa de roble oscuro

6 bloques

6 bloques

5 bloques

6,5 bloques

1 bloque

2 bloques

1 bloque

estandarte de pared blanca

obsidiana

1 bloque

escaleras de roble oscuro

puerta de roble oscuro

botón de roble oscuro

EL PORTAL DEL INFRAMUNDO

Para construirlo, crea un marco rectangular de al menos 4×5 bloques de obsidiana. Si te falta obsidiana, prescinde de los bloques de las esquinas. Luego prende un fuego en su interior con un chisquero de pedernal y llena ese espacio con bloques de portal.

EL GLOBO PORCINO

¡Oink, oink! ¿Te parece que el modo más bonito de volar es en globo aerostático? Pues aquí tienes algo aún más mono: surcar los cielos con este globo aerostático porcino. En realidad, esta construcción no volará, pero ¡imagínate lo chula que quedará amarrada junto a tu base!

DIFICULTAD:

★★☆☆☆

🕐 15 minutos

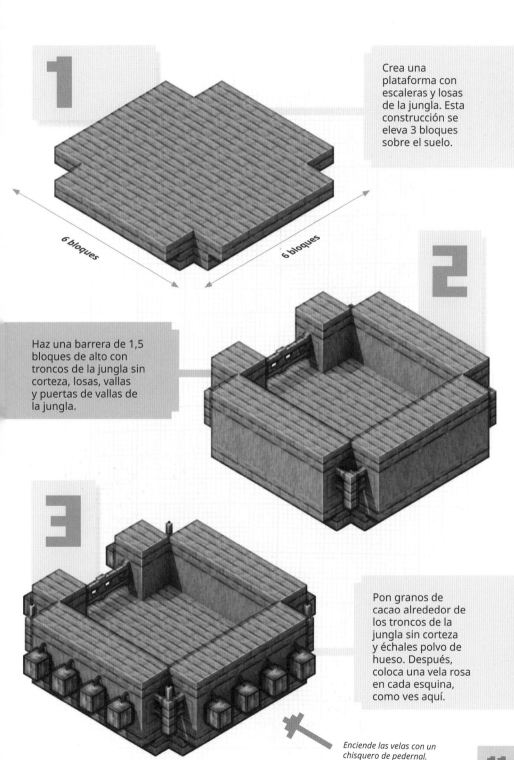

1

Crea una plataforma con escaleras y losas de la jungla. Esta construcción se eleva 3 bloques sobre el suelo.

6 bloques

6 bloques

2

Haz una barrera de 1,5 bloques de alto con troncos de la jungla sin corteza, losas, vallas y puertas de vallas de la jungla.

3

Pon granos de cacao alrededor de los troncos de la jungla sin corteza y échales polvo de hueso. Después, coloca una vela rosa en cada esquina, como ves aquí.

Enciende las velas con un chisquero de pedernal.

4

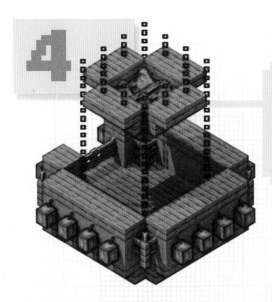

Comienza a construir el quemador para el globo. En cada esquina de la cesta, pon cadenas de 5 bloques de alto. Después, haz el quemador con escaleras, losas de jungla y fogatas. Pon más cadenas en la parte superior para conectarlo con el globo.

5

Crea una plataforma de 8×8 de hormigón rosa con un agujero de 2×2 en el medio, tal y como ves en la ilustración.

6

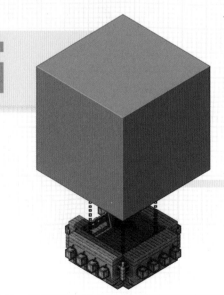

Añade tres paredes y techo a la plataforma de hormigón rosa para tener un cubo hueco por el centro.

7

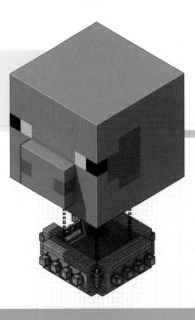

Finalmente, añade 3 paredes y un techo a la plataforma de hormigón rosa de 8×8 para tener un cubo grande y hueco por el centro.

OTROS DISEÑOS

Las cabezas de mob te pueden inspirar para diseñar tu globo. ¿Por qué no creas tu propio diseño? Usa estos modelos como referencia para crear tus propios globos aerostáticos de abeja y Enderman.

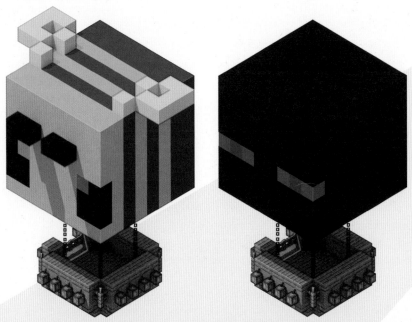

EL GRAN GRANERO ROJO

Has creado campos y más campos de trigo, que se extienden más allá de lo que alcanza la vista, aunque uses un catalejo. ¡Qué maravilla! Pero ¿qué harás con todo ese trigo? Hagas lo que hagas, este granero y este silo podrían ser la solución perfecta para almacenarlo.

DIFICULTAD:

⭐⭐⭐☆☆

🕐 35 minutos

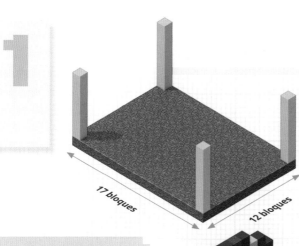

Levanta 4 pilares de hormigón blanco de 7 bloques de alto sobre tierra del campo, como ves aquí.

17 bloques

12 bloques

Fíjate en la imagen para construir una estructura de hormigón blanco que sostendrá la pared trasera. Luego, alza 4 paredes con hormigón rojo, polvo de hormigón rojo y terracota roja; deja huecos para ventanas y puertas.

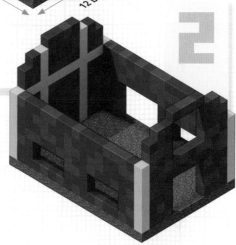

11 bloques

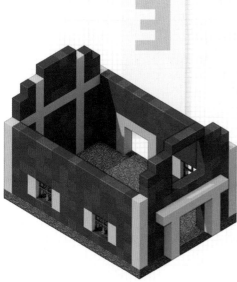

IMAGEN ROTADA 90°

Enmarca ventanas y puertas con hormigón blanco; después, añade paneles de cristal a las ventanas.

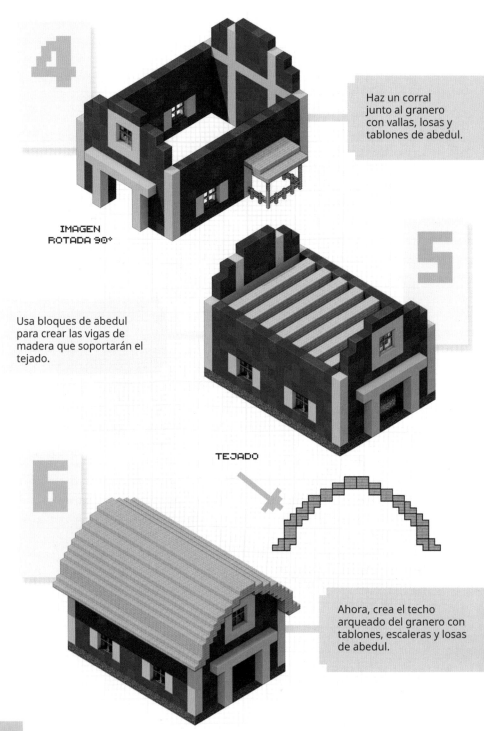

4

Haz un corral junto al granero con vallas, losas y tablones de abedul.

IMAGEN ROTADA 90°

5

Usa bloques de abedul para crear las vigas de madera que soportarán el tejado.

TEJADO

6

Ahora, crea el techo arqueado del granero con tablones, escaleras y losas de abedul.

Con hormigón
rojo, polvo de
hormigón rojo
y terracota roja,
construye una
chimenea para
ventilar el granero.
Completa la
chimenea con
escaleras, tablones
y vallas de abedul.

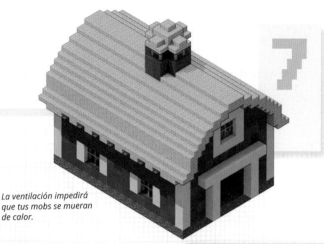

*La ventilación impedirá
que tus mobs se mueran
de calor.*

EL SILO

¿Por qué no añadir un silo? Se
utilizan en las granjas para guardar
el alimento de los animales. Llénalo
de cofres y podrás almacenarlo
todo.

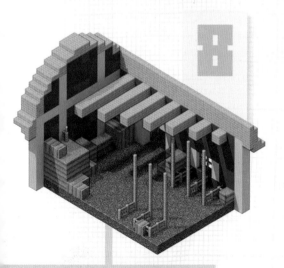

Por último, compartimenta el
interior del granero con vallas de
abedul y fardos de heno. Acuérdate
de iluminar el interior con antorchas.

LA BASE PAGODA

¿Necesitas mucho espacio y estás harto de las estructuras de siempre? Pues aquí tienes una pagoda: amplia y original. Tiene 4 pisos y un acabado sencillo a la par que elegante. ¿Sabías que las pagodas se caracterizan por sus aleros y pisos escalonados?

DIFICULTAD:
★★★☆☆
🕐 1 hora

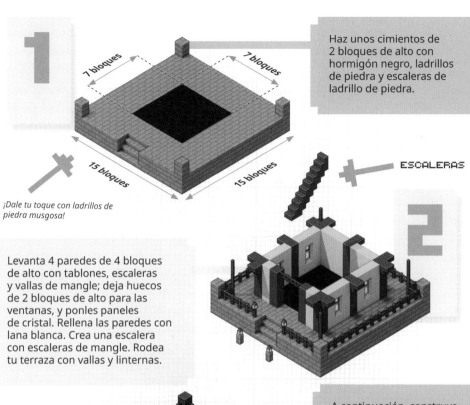

1

7 bloques

7 bloques

15 bloques

15 bloques

Haz unos cimientos de 2 bloques de alto con hormigón negro, ladrillos de piedra y escaleras de ladrillo de piedra.

ESCALERAS

¡Dale tu toque con ladrillos de piedra musgosa!

2

Levanta 4 paredes de 4 bloques de alto con tablones, escaleras y vallas de mangle; deja huecos de 2 bloques de alto para las ventanas, y ponles paneles de cristal. Rellena las paredes con lana blanca. Crea una escalera con escaleras de mangle. Rodea tu terraza con vallas y linternas.

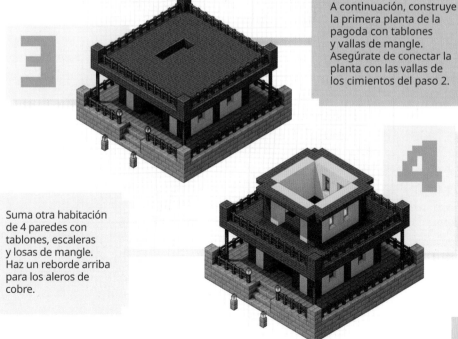

3

A continuación, construye la primera planta de la pagoda con tablones y vallas de mangle. Asegúrate de conectar la planta con las vallas de los cimientos del paso 2.

4

Suma otra habitación de 4 paredes con tablones, escaleras y losas de mangle. Haz un reborde arriba para los aleros de cobre.

Haz un piso sobre el paso 4 con tablones de mangle y losas y escaleras de cobre cortado para los aleros. Conecta las plantas con escaleras de mano.

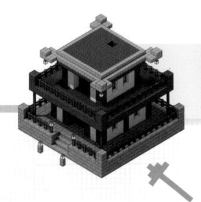

5

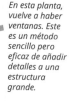

¡Encera el cobre con un panal y evitarás que envejezca!

6

Haz una tercera habitación con aleros sobre la anterior, usando los mismos bloques que en los pasos 4 y 5.

En esta planta, vuelve a haber ventanas. Este es un método sencillo pero eficaz de añadir detalles a una estructura grande.

Suma una habitación con aleros sobre el paso 6 con los mismos bloques. Y conecta los pisos con unas escaleras de mano por el interior.

7

8

Construye la quinta y última habitación de 4 bloques de alto en el espacio restante empleando los mismos bloques.

9

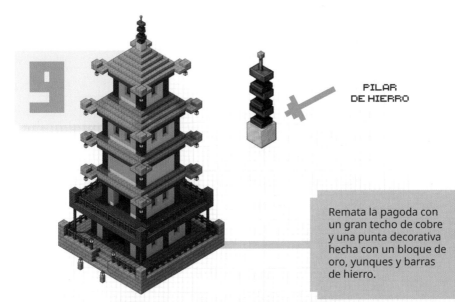

PILAR
DE HIERRO

Remata la pagoda con
un gran techo de cobre
y una punta decorativa
hecha con un bloque de
oro, yunques y barras
de hierro.

INTERIORES

Como la pagoda cuenta con 5 habitaciones escalonadas, vas a tener muchísimo espacio
para almacenar tus tesoros. Y como vas a pasar mucho tiempo ordenando tus cofres,
mejor estar cómodo, ¿no te parece? Decora los 2 pisos de abajo de la siguiente manera.

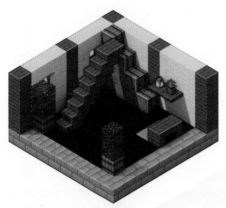

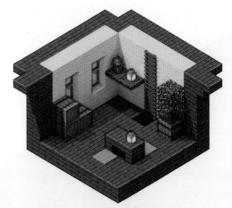

HABITACIÓN 1

Aquí debes tener los objetos que
necesitas en un apuro, así que los
barriles son ideales. Pon un escritorio con
bloques de escalera y decora el espacio
con plantas para que sea más acogedor.

HABITACIÓN 2

Este es el lugar donde planear tu
próxima aventura... ¡y te hallarás a salvo
de los zombis que te sigan hasta dentro!
Coloca otro escritorio y algunos barriles,
¡y estarás listo!

EL IGLÚ ESCONDITE

Brrrr... Qué frío hace en los biomas nevados, y lo sentirás aunque calces unas botas de cuero que te mantengan los pies secos. Tal vez no cuentes con muchos recursos en este lugar, pero sí hay mucha nieve. Construye este iglú y llénalo de lana: resultará más acogedor y cálido.

DIFICULTAD:
★★★☆☆
🕐 35 minutos

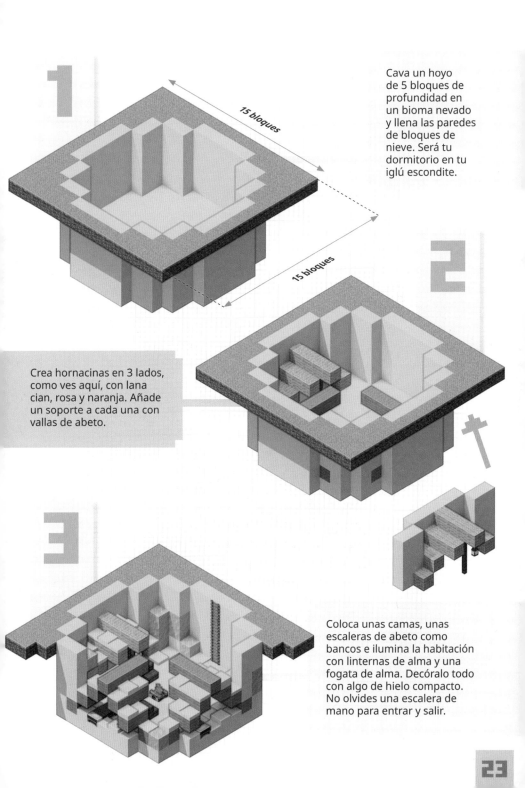

1

15 bloques

15 bloques

Cava un hoyo de 5 bloques de profundidad en un bioma nevado y llena las paredes de bloques de nieve. Será tu dormitorio en tu iglú escondite.

2

Crea hornacinas en 3 lados, como ves aquí, con lana cian, rosa y naranja. Añade un soporte a cada una con vallas de abeto.

3

Coloca unas camas, unas escaleras de abeto como bancos e ilumina la habitación con linternas de alma y una fogata de alma. Decóralo todo con algo de hielo compacto. No olvides una escalera de mano para entrar y salir.

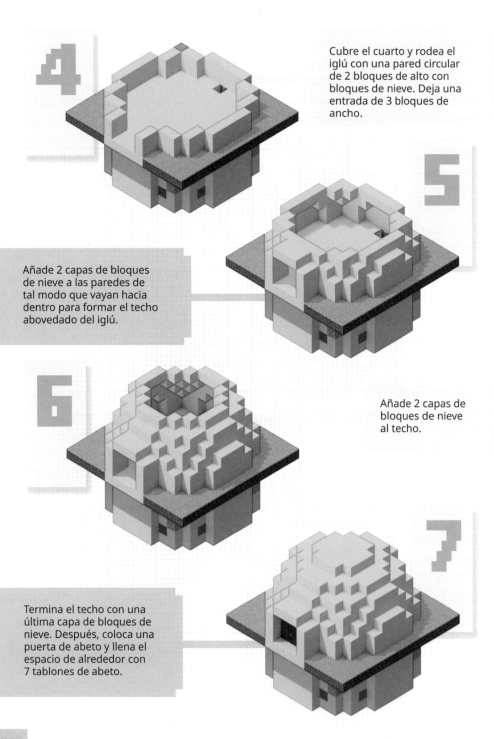

4

Cubre el cuarto y rodea el iglú con una pared circular de 2 bloques de alto con bloques de nieve. Deja una entrada de 3 bloques de ancho.

5

Añade 2 capas de bloques de nieve a las paredes de tal modo que vayan hacia dentro para formar el techo abovedado del iglú.

6

Añade 2 capas de bloques de nieve al techo.

7

Termina el techo con una última capa de bloques de nieve. Después, coloca una puerta de abeto y llena el espacio de alrededor con 7 tablones de abeto.

INTERIORES

Solo porque el bioma nevado sea frío y blanco,
eso no significa que el interior de tu iglú deba ser
igual. Agrega estos toques finales para que tu
construcción sea cálida, colorida y acogedora.

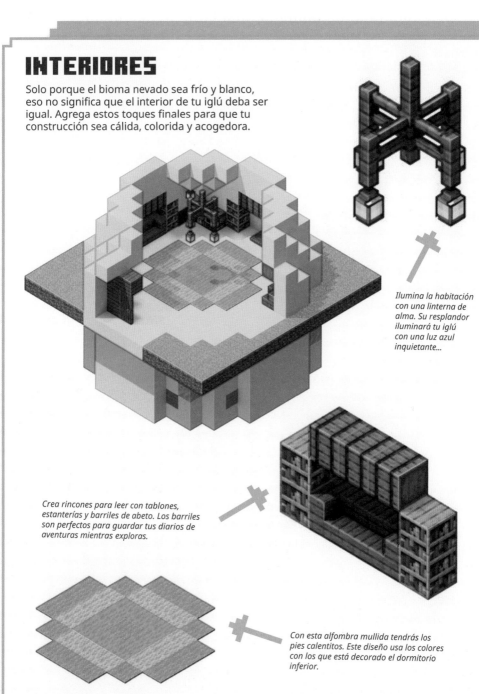

Ilumina la habitación
con una linterna de
alma. Su resplandor
iluminará tu iglú
con una luz azul
inquietante...

Crea rincones para leer con tablones,
estanterías y barriles de abeto. Los barriles
son perfectos para guardar tus diarios de
aventuras mientras exploras.

Con esta alfombra mullida tendrás los
pies calentitos. Este diseño usa los colores
con los que está decorado el dormitorio
inferior.

LA ESTATUA DEL AYUDANTE

A estos maravillosos y pequeños mobs les encanta ayudarte. Si les das un objeto, volarán de acá para allá para traerte más objetos como ese. Como los ayudantes, esta estatua brilla en la oscuridad: una representación perfecta de este amigo tan majo.

DIFICULTAD:
★☆☆☆☆
🕐 10 minutos

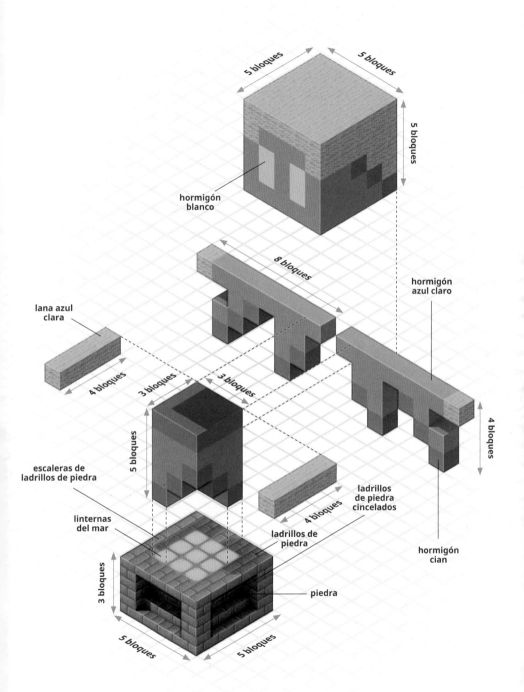

hormigón
blanco

5 bloques

5 bloques

5 bloques

8 bloques

hormigón
azul claro

lana azul
clara

4 bloques

3 bloques

3 bloques

4 bloques

5 bloques

escaleras de
ladrillos de piedra

ladrillos
de piedra
cincelados

4 bloques

hormigón
cian

linternas
del mar

ladrillos de
piedra

piedra

3 bloques

5 bloques

5 bloques

27

LA CÁRCEL DEL VIEJO OESTE

¡Hola, amigos! ¡Hay un nuevo *sheriff* en la ciudad! Gracias a esa puerta de hierro que evita que los criminales se fuguen y a esos cactus que mantienen alejados a los aldeanos fisgones, estarás preparado para imponer la ley en este bioma donde podrás hallar minas de oro.

DIFICULTAD:
★★☆☆☆
🕐 20 minutos

1

Construye los cimientos con tablones y escaleras de abedul. Pon 2 columnas de arenisca lisa roja de 8 bloques de alto en la parte delantera y otras dos de 7 bloques de alto en la trasera.

9 bloques

9 bloques

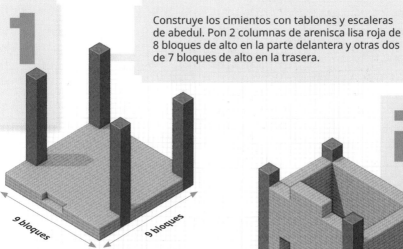

2

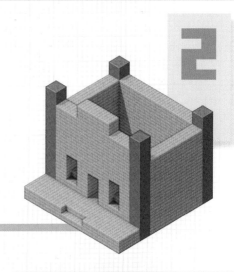

Alza las paredes de la cárcel con más tablones de abedul. Deja huecos para las ventanas y la puerta.

3

Usa losas de abedul para el techo; después, añade detalles chulos con losas y escaleras de arenisca roja lisa, así como botones de acacia. Pon la puerta de valla de abedul y barras de hierro en las ventanas.

¡Así ya tendrías el típico edificio del Oeste!

4

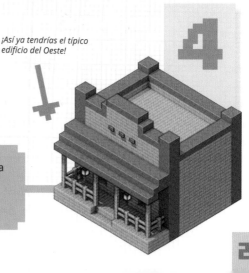

Ahora, construye el porche. Crea la barandilla con vallas de abedul y la marquesina con bloques y escaleras de arenisca roja lisa. Ilumínalo con linternas.

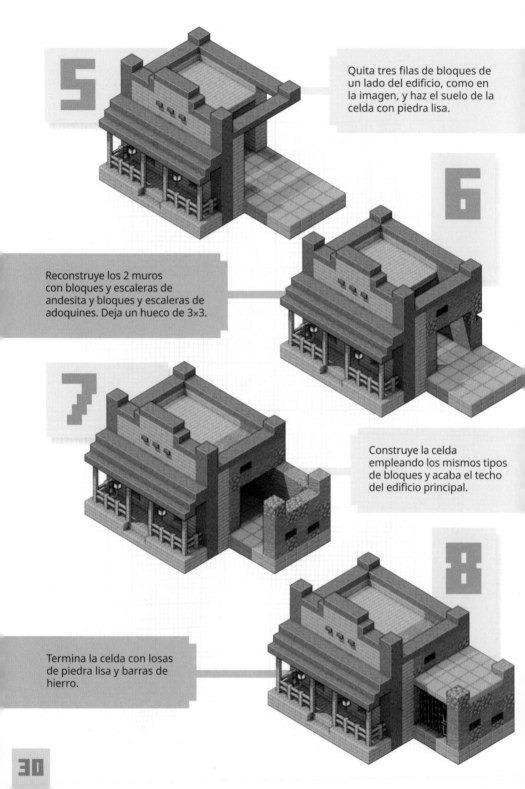

5

Quita tres filas de bloques de un lado del edificio, como en la imagen, y haz el suelo de la celda con piedra lisa.

6

Reconstruye los 2 muros con bloques y escaleras de andesita y bloques y escaleras de adoquines. Deja un hueco de 3×3.

7

Construye la celda empleando los mismos tipos de bloques y acaba el techo del edificio principal.

8

Termina la celda con losas de piedra lisa y barras de hierro.

INTERIOR

¡No te olvides del interior! Para que esta cárcel funcione como es debido, tienes que cubrir algunas necesidades más:

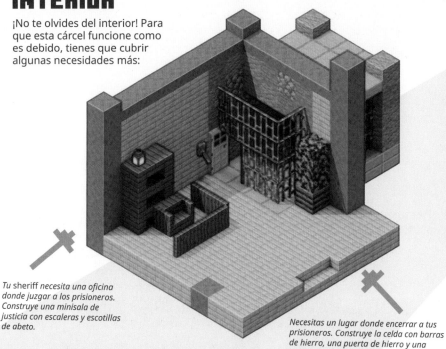

Tu sheriff necesita una oficina donde juzgar a los prisioneros. Construye una minisala de justicia con escaleras y escotillas de abeto.

Necesitas un lugar donde encerrar a tus prisioneros. Construye la celda con barras de hierro, una puerta de hierro y una palanca. Será el nuevo hogar del que no respete la ley.

EL PASADIZO SECRETO

Imagínate que un prisionero ha cavado un túnel para escapar de la celda. ¡Coloca una escotilla encima del túnel para que los nuevos prisioneros no lo encuentren!

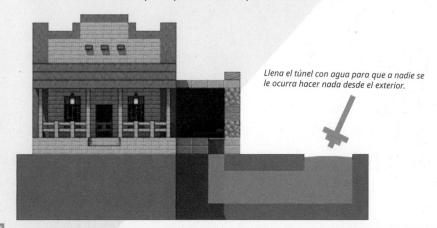

Llena el túnel con agua para que a nadie se le ocurra hacer nada desde el exterior.

LA BASE SECRETA DE LA ISLA

Hay más de 2.000 especies únicas de peces tropicales en Minecraft, ¡eso es un montón de peces! A ver cuántos puedes ver desde la comodidad de tu propia sala de observación secreta, escondida bajo una remota isla en el océano. ¡No olvides llevar algo de picar!

DIFICULTAD:
★★★★★
🕐 30 minutos

1

13 bloques

13 bloques

Construye con arenisca la base del acuario a 13 bloques bajo el nivel del mar.

Haz ocho columnas de 10 bloques con pilares púrpuras.

2

3

Pon escaleras de ladrillo púrpura en los pies y en la cabeza de cada columna. Y une las columnas por el suelo con pilares púrpuras.

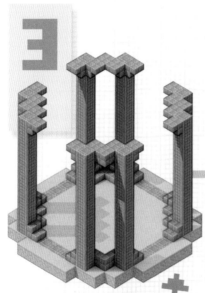

4

Rodéalo con cristal y pon varas del End arriba para iluminar.

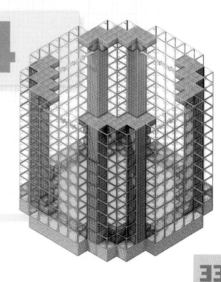

Llena el acuario con arena y luego elimina los bloques para quitar el agua. Añade otra capa de arenisca y deja dos huecos para los ascensores de agua, que estarán separados en el centro por un bloque.

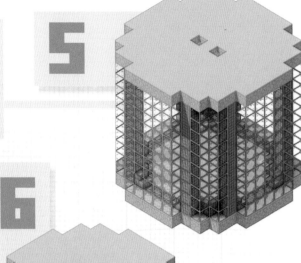

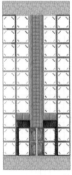

FRONTAL   LATERAL

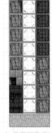

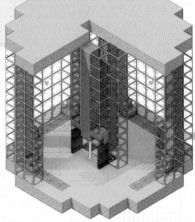

Crea los huecos para los ascensores con cristal púrpura. Pon un bloque de arena de almas bajo un hueco y un bloque de magma bajo el otro. Pon 2 puertas y 2 varas del End en la base.

Pon una capa de arena y otras dos capas de hierba sobre el acuario; deja espacio para los huecos de los ascensores.

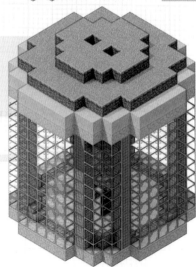

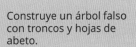

Construye un árbol falso
con troncos y hojas de
abeto.

escotilla

Llena los huecos de
los ascensores con
agua para cultivar
algas marinas con
polvo de hueso.
Quítalas cuando
crezcan del todo
y tapa cada hueco
con una escotilla
de abeto.

Las algas marinas llenarán
el hueco del ascensor de agua
y activarán las columnas de
burbujas.

arena
de almas

**LOS HUECOS DE
LOS ASCENSORES**

EL INVERNADERO

Hay muchísimas frutas, verduras y plantas en Minecraft, así que ¿por qué no cultivas tus favoritas en un invernadero? Con esta construcción hecha con ladrillos de barro, te sentirás en paz con la naturaleza mucho antes de plantar la primera semilla.

DIFICULTAD:
★★★☆☆
🕐 35 minutos

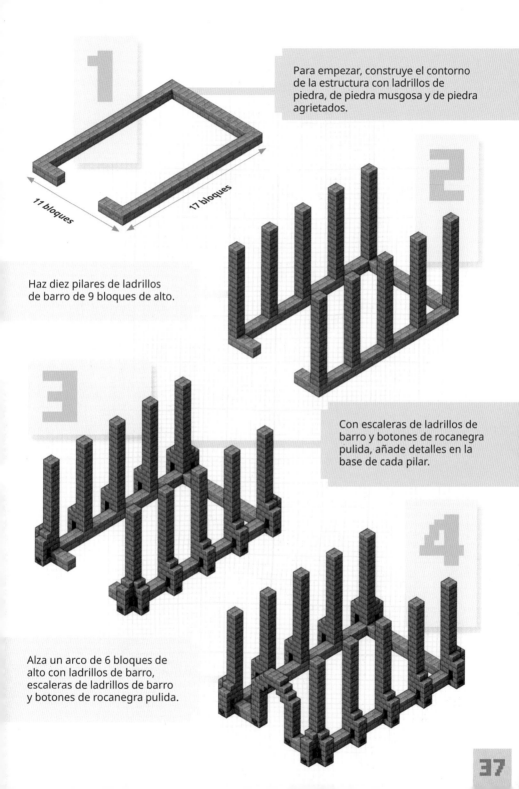

Para empezar, construye el contorno de la estructura con ladrillos de piedra, de piedra musgosa y de piedra agrietados.

11 bloques

17 bloques

Haz diez pilares de ladrillos de barro de 9 bloques de alto.

Con escaleras de ladrillos de barro y botones de rocanegra pulida, añade detalles en la base de cada pilar.

Alza un arco de 6 bloques de alto con ladrillos de barro, escaleras de ladrillos de barro y botones de rocanegra pulida.

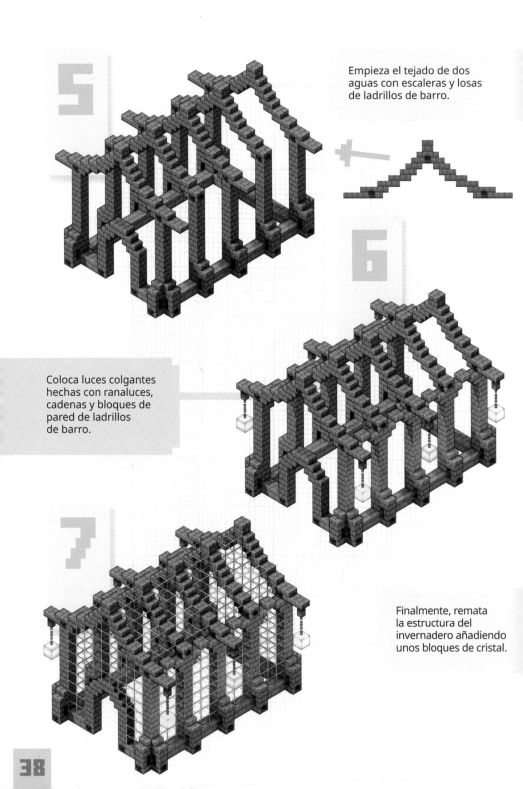

5

Empieza el tejado de dos aguas con escaleras y losas de ladrillos de barro.

6

Coloca luces colgantes hechas con ranaluces, cadenas y bloques de pared de ladrillos de barro.

7

Finalmente, remata la estructura del invernadero añadiendo unos bloques de cristal.

INTERIOR

En este invernadero,
¡ya casi puedes cultivar!
Lo único que te falta es
decorar su interior.

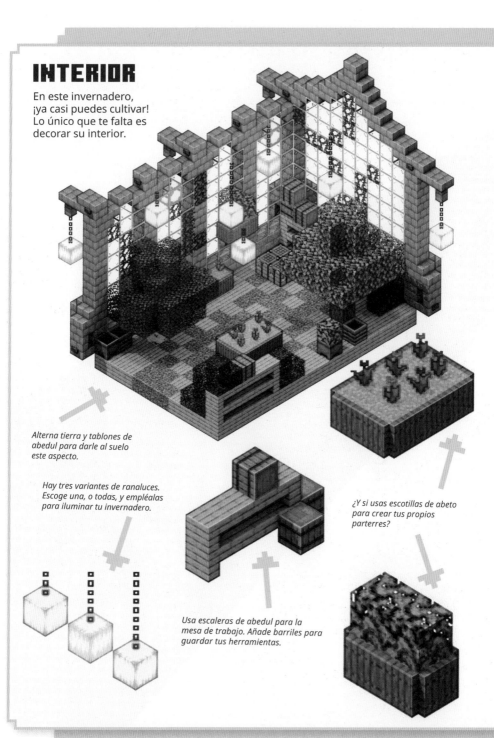

Alterna tierra y tablones de
abedul para darle al suelo
este aspecto.

Hay tres variantes de ranaluces.
Escoge una, o todas, y empléalas
para iluminar tu invernadero.

¿Y si usas escotillas de abeto
para crear tus propios
parterres?

Usa escaleras de abedul para la
mesa de trabajo. Añade barriles para
guardar tus herramientas.

EL BARCO DE VAPOR

¡Todos a bordo! Buscad vuestros asientos, pues este lujoso barco de vapor
va a zarpar. Los pasajeros pueden disfrutar de una cena elegante o de un
espectáculo musical mientras viajan por el río. ¡Este barco de vapor cuenta
con tres cubiertas que pueden usarse para todo lo que tú quieras!

DIFICULTAD:
★★★☆☆
🕐 35 minutos

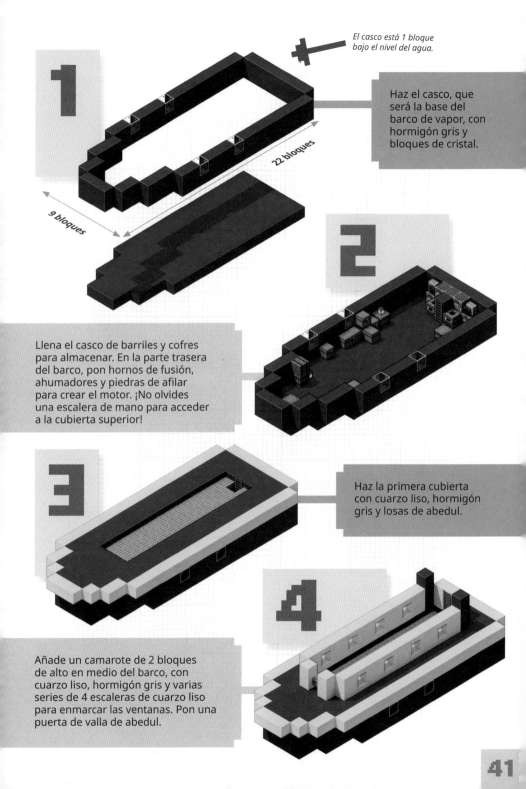

1

El casco está 1 bloque bajo el nivel del agua.

22 bloques

9 bloques

Haz el casco, que será la base del barco de vapor, con hormigón gris y bloques de cristal.

2

Llena el casco de barriles y cofres para almacenar. En la parte trasera del barco, pon hornos de fusión, ahumadores y piedras de afilar para crear el motor. ¡No olvides una escalera de mano para acceder a la cubierta superior!

3

Haz la primera cubierta con cuarzo liso, hormigón gris y losas de abedul.

4

Añade un camarote de 2 bloques de alto en medio del barco, con cuarzo liso, hormigón gris y varias series de 4 escaleras de cuarzo liso para enmarcar las ventanas. Pon una puerta de valla de abedul.

41

5

Rodea el barco con paredes de ladrillos de Inframundo rojos y cuarzo liso.

6

Añade una segunda cubierta usando más de esos mismos bloques.

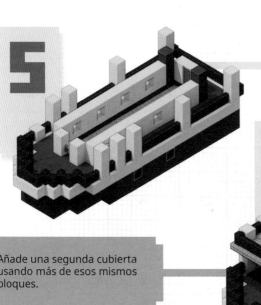

7

Decora la segunda cubierta con cuarzo liso, bancos y sillones hechos con escotillas de roble ' y linternas. Por último, suma la escalera de mano de la entrada y los pilares de hormigón gris.

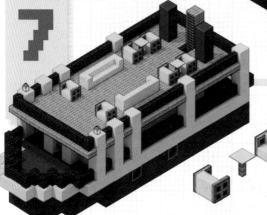

8

Crea una tercera cubierta con losas de abedul y cuarzo liso.

42

9

Decora esta cubierta con más sillones y linternas. Crea el timón con una piedra de afilar. Después, extiende la escalera de mano y los pilares de hormigón gris.

10

Crea un techo de losas de abedul de 7×7 con chimeneas, como ves aquí.

Haz las chimeneas con fogatas rodeadas de escotillas de roble.

11

Para las ruedas, usa un patrón que combina bloques y escaleras de ladrillos de Inframundo rojos con un bloque de cuarzo liso en el centro.

EL JUEGO DE PACHINKO DE *PARKOUR*

Hemos dado la vuelta a este popular juego japonés. En lugar de que una bola caiga por la máquina, tú vas a ser la pelota que salte y rebote para poder subir por ella. Salta y brinca hasta la victoria. ¡Pero ten cuidado! ¡Si das un paso o salto en falso, caerás en la lava!

DIFICULTAD:
★★★★★
🕐 30 minutos

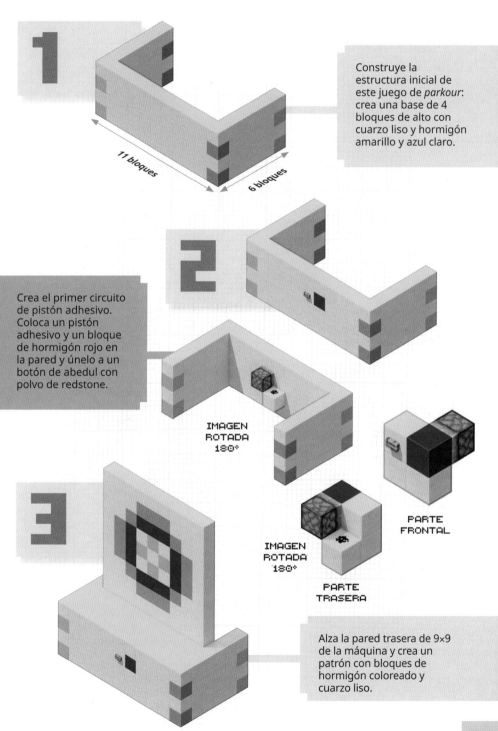

1

Construye la estructura inicial de este juego de *parkour*: crea una base de 4 bloques de alto con cuarzo liso y hormigón amarillo y azul claro.

11 bloques

6 bloques

2

Crea el primer circuito de pistón adhesivo. Coloca un pistón adhesivo y un bloque de hormigón rojo en la pared y únelo a un botón de abedul con polvo de redstone.

IMAGEN ROTADA 180°

IMAGEN ROTADA 180°

PARTE TRASERA

PARTE FRONTAL

3

Alza la pared trasera de 9×9 de la máquina y crea un patrón con bloques de hormigón coloreado y cuarzo liso.

45

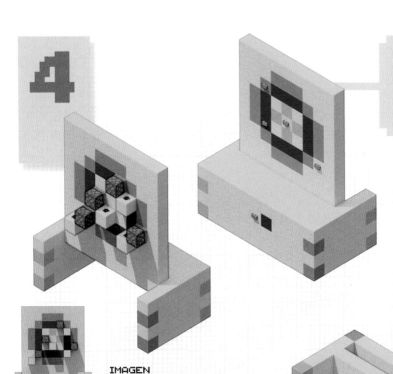

4

Añade 4 circuitos de pistones adhesivos por la pared como en el paso 2.

IMAGEN
ROTADA
180°

Rodea con una pared tres lados de la sección superior del edificio y deja un hueco para una puerta, como ves aquí.

5

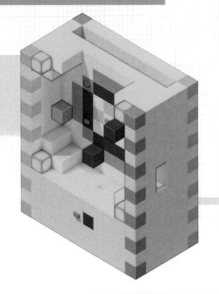

6

Dale los toques finales a la ruta de *parkour*. Pon más hormigón rojo y azul y añade cuarzo liso en cada esquina a modo de escaleras. Ilumina el circuito con linternas del mar.

7

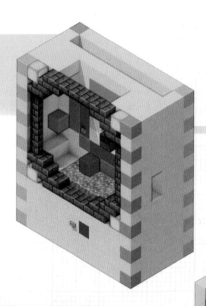

Con escaleras de ladrillo, losas y paredes de pizarra abismal, rodea con un anillo la parte frontal de la máquina. ¡Y añade la lava en la parte inferior!

8

Suma una capa de hormigón, cuarzo liso y paredes de ladrillo de pizarra abismal sobre el edificio. Deja un hueco y pon una escalera de mano para entrar y salir.

9

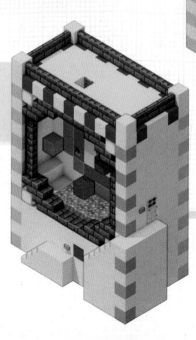

Pon una puerta y un botón de hierro en la pared lateral; después, haz una escalera hasta ella. Deja un hueco en la escalera para que los jugadores puedan saltar usando el primer circuito.

EL HIPÓDROMO

¿Quieres convertirte en el mejor jinete de Minecraft? ¡Practica en tu propio hipódromo! Esta guía está dividida en tres secciones, para que puedas diseñar tu hipódromo de la forma que desees. ¡Empieza con la línea de salida y veamos qué más construyes!

DIFICULTAD:
★★★★☆

🕒 1 hora o más

SECCIÓN 1
LA SALIDA

Toda carrera comienza en algún sitio. Con esta línea de salida de redstone, nadie tendrá una ventaja inicial.

1

A 3 bloques bajo el nivel del suelo, haz una fila de 8 bloques de hormigón blanco y echa polvo de redstone sobre cada uno. Después, pon 7 pistones.

Pon un bloque de hormigón blanco sobre el último polvo de redstone y añádele una palanca.

2

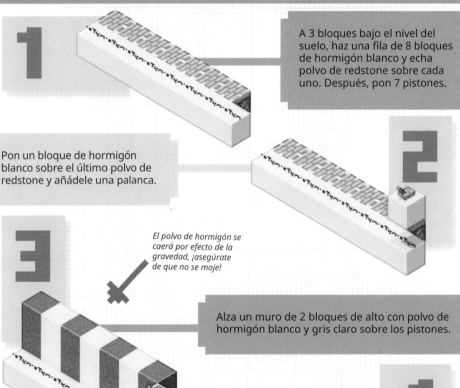

El polvo de hormigón se caerá por efecto de la gravedad, ¡asegúrate de que no se moje!

3

Alza un muro de 2 bloques de alto con polvo de hormigón blanco y gris claro sobre los pistones.

4

Completa la línea de salida alrededor del mecanismo de redstone con bloques de hormigón gris y blanco.

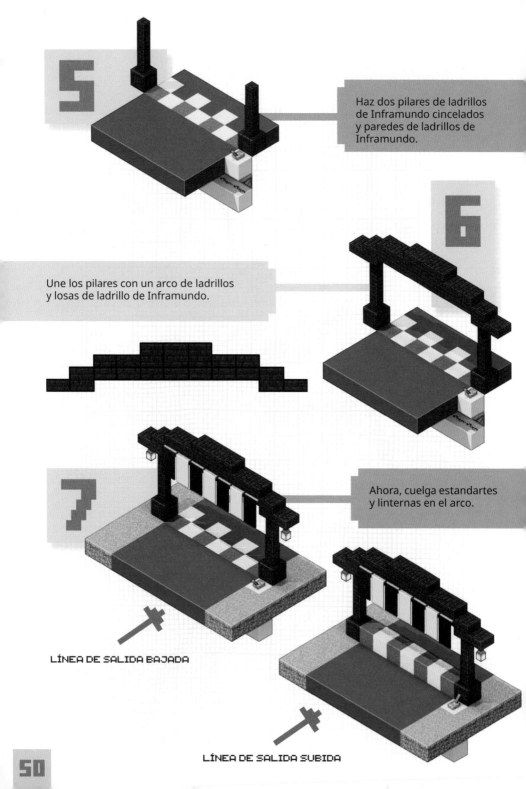

Haz dos pilares de ladrillos de Inframundo cincelados y paredes de ladrillos de Inframundo.

Une los pilares con un arco de ladrillos y losas de ladrillo de Inframundo.

Ahora, cuelga estandartes y linternas en el arco.

LÍNEA DE SALIDA BAJADA

LÍNEA DE SALIDA SUBIDA

SECCIÓN 2
LA PISTA

¡Sigue esta guía y diseña tu pista tan enrevesada como desees! Pero recuerda: la carrera acaba cuando los jugadores regresan a la línea de salida.

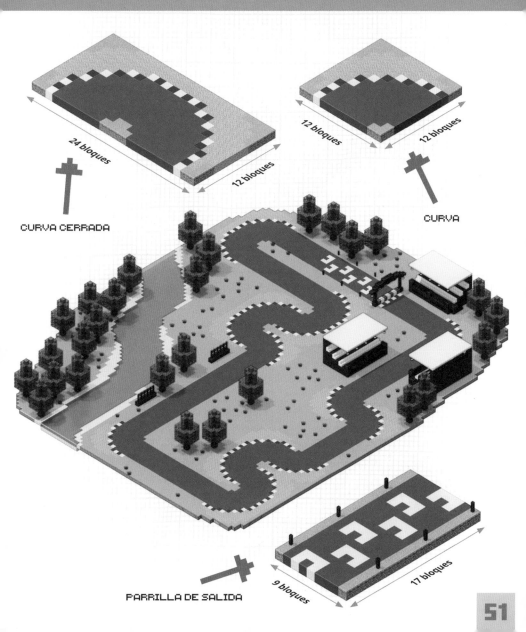

24 bloques

12 bloques

CURVA CERRADA

12 bloques

12 bloques

CURVA

17 bloques

9 bloques

PARRILLA DE SALIDA

SECCIÓN 3: EL ESTADIO
LAS GRADAS

Sigue estos consejos para crear unas gradas. Colócalas cerca de la línea de meta para que los espectadores presencien el final de la carrera.

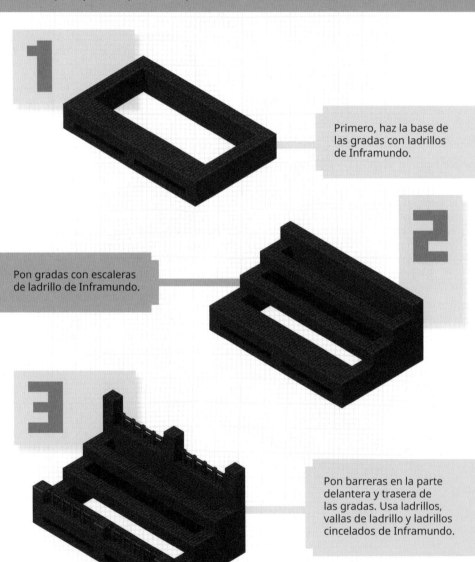

1

Primero, haz la base de las gradas con ladrillos de Inframundo.

2

Pon gradas con escaleras de ladrillo de Inframundo.

3

Pon barreras en la parte delantera y trasera de las gradas. Usa ladrillos, vallas de ladrillo y ladrillos cincelados de Inframundo.

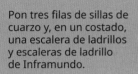

Pon tres filas de sillas de cuarzo y, en un costado, una escalera de ladrillos y escaleras de ladrillo de Inframundo.

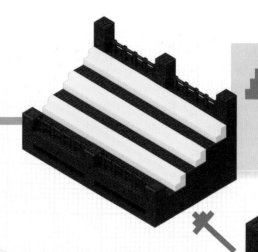

ESCALERA

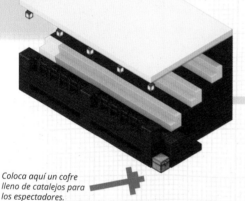

Coloca aquí un cofre lleno de catalejos para los espectadores.

Por último, haz una cubierta superior de losas de cuarzo liso. Ilumina el espacio con linternas colgantes. Repite los pasos si quieres más gradas en tu hipódromo.

VALLAS

Pon vallas para mantener a los jugadores en la pista.

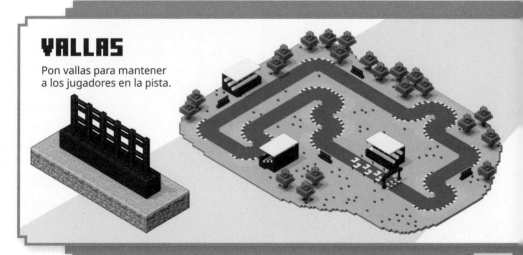

EL ESCONDITE PARA OBSERVAR MOBS

Conquistar un puesto avanzado de maldeanos es una misión peligrosa que suele acabar muy mal. En vez de eso, construye tu propia torre: podrás vigilar a todos esos molestos mobs. Este escondite se confunde con el entorno, por lo que es difícil que los jugadores que pasen cerca te vean.

DIFICULTAD:
★★★★☆
🕐 40 minutos

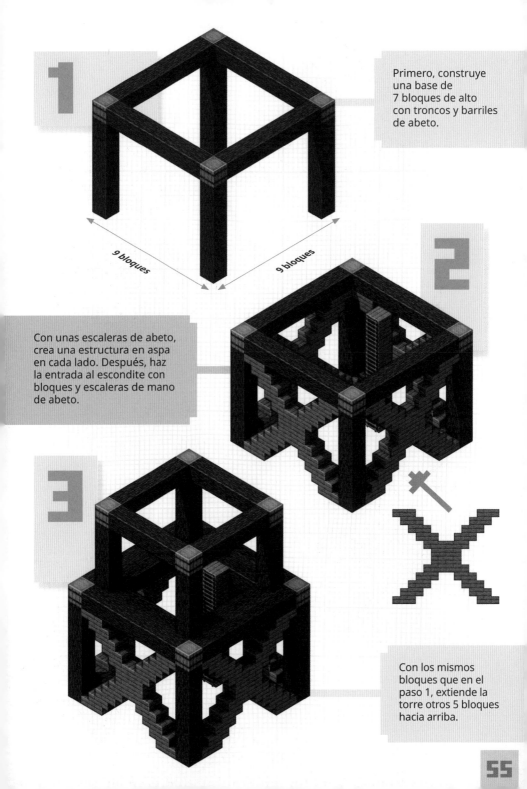

1

Primero, construye una base de 7 bloques de alto con troncos y barriles de abeto.

9 bloques

9 bloques

2

Con unas escaleras de abeto, crea una estructura en aspa en cada lado. Después, haz la entrada al escondite con bloques y escaleras de mano de abeto.

3

Con los mismos bloques que en el paso 1, extiende la torre otros 5 bloques hacia arriba.

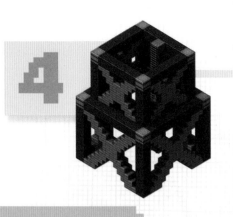

4

Haz otra aspa en cada lado.
Continúa la escalera de mano.

5

Repite los pasos 3 y 4.

6

Con troncos de abeto,
haz un marco de
13×13×4 como ves aquí.

7

Rellena el marco con losas
de abeto. Con escaleras de
abeto, pon estructuras
de soporte bajo las vigas
que sobresalen.

Con barriles, losas y escotillas de abeto que se abran hacia afuera, rodea la torre con un pasamanos. Pon otra escotilla de abeto en la parte superior de la escalera de mano de entrada.

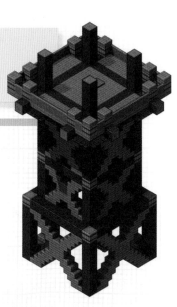

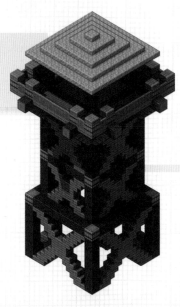

Con unas escaleras y losas de cobre cortado, construye el techo. Si quieres, puedes encerar el cobre mientras aún está brillante y naranja o dejar que se oxide y se vuelva azul.

CAMUFLAJE

Ahora podrás observar a los demás jugadores desde lejos, pero si no tienes cuidado, ¡podrían localizarte! Para evitarlo, debes confundir tu construcción con el paisaje. Añade hojas a tu torre o incluso plantéate la posibilidad de usar unos materiales de construcción distintos si te encuentras en un bioma sin mucha vegetación.

LA CALA DE LA CALAVERA

Para que tus objetos más valiosos no caigan en manos de bandidos y saqueadores, deberás saber manejar el redstone... ¿o por qué no los ocultas como los piratas... en la Cala de la Calavera? Esta cueva espantará a cualquier visitante que ose intentar robarte tu tesoro.

DIFICULTAD:
★★★★☆

🕐 25 minutos

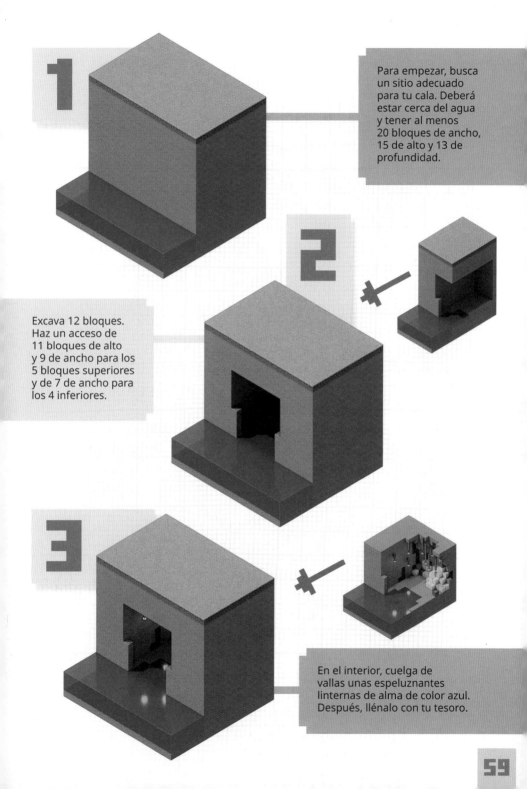

1

Para empezar, busca un sitio adecuado para tu cala. Deberá estar cerca del agua y tener al menos 20 bloques de ancho, 15 de alto y 13 de profundidad.

2

Excava 12 bloques. Haz un acceso de 11 bloques de alto y 9 de ancho para los 5 bloques superiores y de 7 de ancho para los 4 inferiores.

3

En el interior, cuelga de vallas unas espeluznantes linternas de alma de color azul. Después, llénalo con tu tesoro.

59

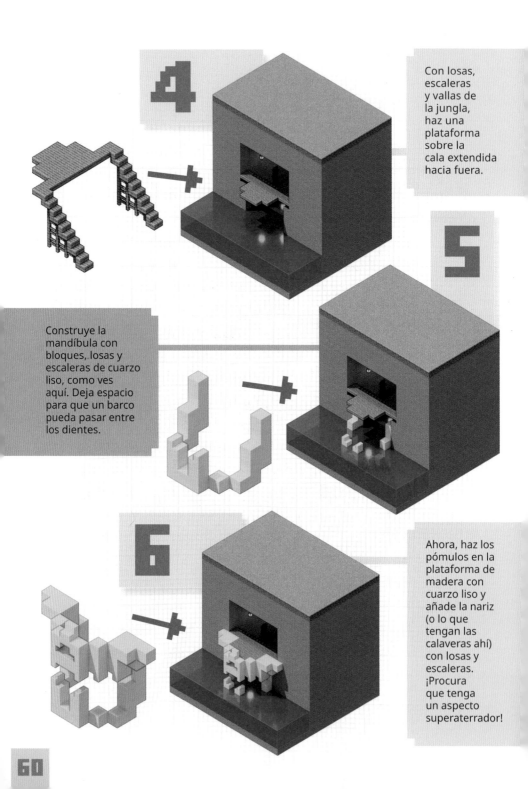

4

Con losas, escaleras y vallas de la jungla, haz una plataforma sobre la cala extendida hacia fuera.

5

Construye la mandíbula con bloques, losas y escaleras de cuarzo liso, como ves aquí. Deja espacio para que un barco pueda pasar entre los dientes.

6

Ahora, haz los pómulos en la plataforma de madera con cuarzo liso y añade la nariz (o lo que tengan las calaveras ahí) con losas y escaleras. ¡Procura que tenga un aspecto superaterrador!

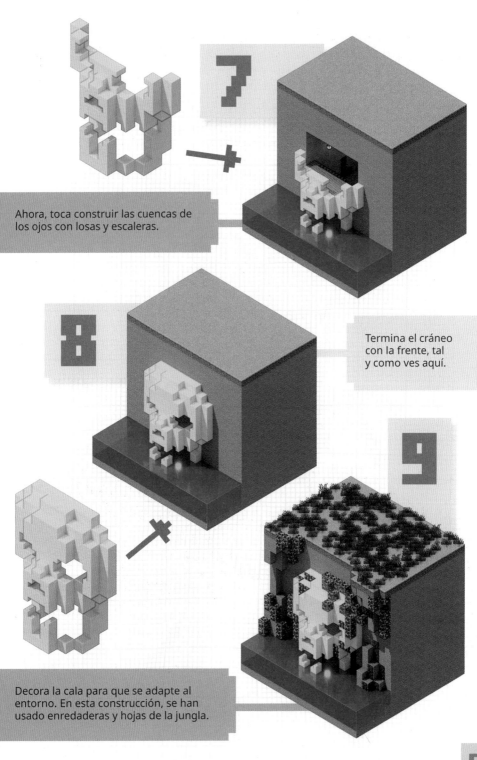

Ahora, toca construir las cuencas de los ojos con losas y escaleras.

Termina el cráneo con la frente, tal y como ves aquí.

Decora la cala para que se adapte al entorno. En esta construcción, se han usado enredaderas y hojas de la jungla.

EL AUTOBÚS MONSTRUOSO

La ruta a la escuela nunca ha sido tan divertida, ¡ni tan rápida! Las ruedas de este autobús monstruoso son más grandes que tú, así que ¡podrá cruzar cualquier terreno que te topes! Agárrate fuerte, porque va a ser un viaje movido. ¡Todos a bordo!

DIFICULTAD:
★★☆☆☆
🕑 25 minutos

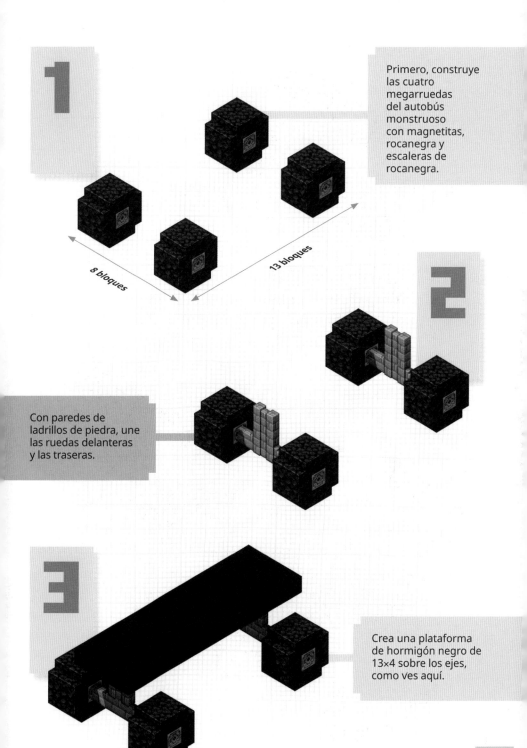

1

Primero, construye las cuatro megarruedas del autobús monstruoso con magnetitas, rocanegra y escaleras de rocanegra.

8 bloques

13 bloques

2

Con paredes de ladrillos de piedra, une las ruedas delanteras y las traseras.

3

Crea una plataforma de hormigón negro de 13×4 sobre los ejes, como ves aquí.

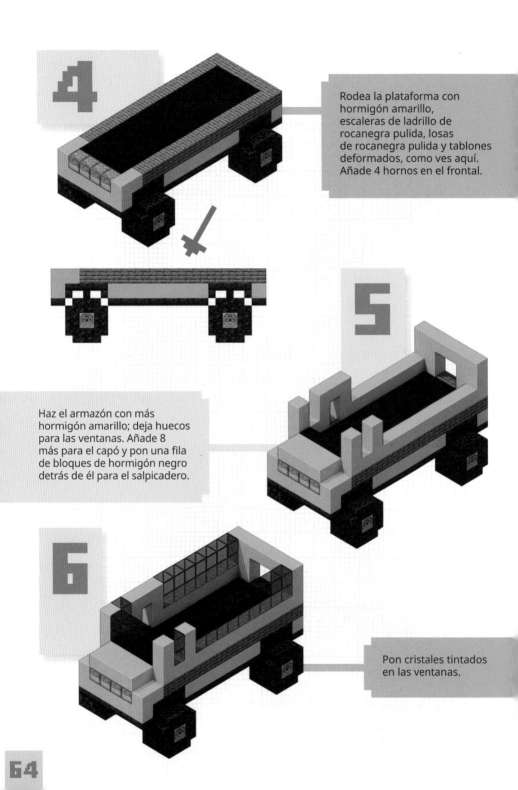

4

Rodea la plataforma con hormigón amarillo, escaleras de ladrillo de rocanegra pulida, losas de rocanegra pulida y tablones deformados, como ves aquí. Añade 4 hornos en el frontal.

5

Haz el armazón con más hormigón amarillo; deja huecos para las ventanas. Añade 8 más para el capó y pon una fila de bloques de hormigón negro detrás de él para el salpicadero.

6

Pon cristales tintados en las ventanas.

7

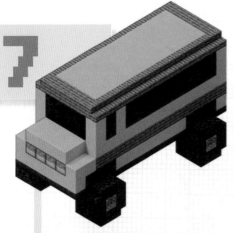

Añade los últimos detalles. Pon marcos luminosos como faros, señales deformadas como rejilla frontal del radiador y una barra de hierro y un bloque de redstone como intermitente. ¡No olvides la escalera de mano para subir al autobús!

8

Añade el techo con hormigón amarillo, tablones deformados y escaleras deformadas.

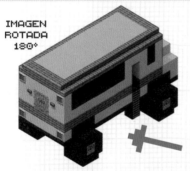

IMAGEN ROTADA 180°

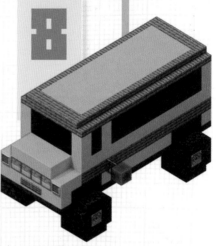

Haz la entrada trasera con puertas y botones deformados. Unos marcos normales contrastarán con los luminosos del frontal. ¡Y pon una escalera de mano para subir!

INTERIOR

¿Hay algo más molón que un autobús escolar modificado para ser un vehículo monstruoso? ¡Imagina llegar a la escuela en este autobús! La seguridad vial es muy importante, pero se puede combinar con diversión.

Las barras de sujeción superiores impedirán que te caigas mientras el autobús cruza los biomas. Las varas del End son perfectas para dotar de un ambiente festivo a este autobús.

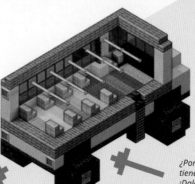

¡Todos alucinarán con estos asientos hechos con escaleras púrpuras!

¿Por qué los autobuses escolares tienen interiores tan sosos? ¡Dale un toque de color!

LA FÁBRICA DE POCIONES

En Minecraft, hay pociones de curación, de fuerza, de rapidez..., ¡la lista no tiene fin! Hay pociones diferentes para cada situación. Incluso en el modo Creativo, la Poción de visión nocturna resulta muy útil. Construye esta fábrica para elaborar todas estas pociones y averigua cómo funcionan.

DIFICULTAD:
★★★★☆
🕐 35 minutos

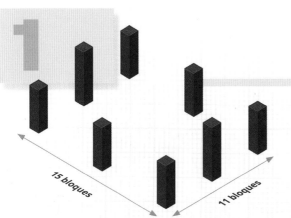

1

Construye ocho pilares de 4 bloques de alto. Usa madera sin corteza de roble oscuro. Añade un bloque adicional a los dos centrales.

15 bloques

11 bloques

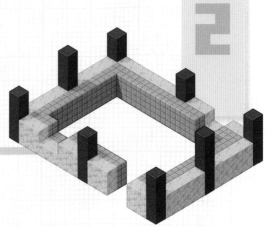

2

Haz una pared doble de 2 bloques de alto; una parte de calcita y la otra de cobre oxidado cortado y encerado.

3

Levanta la chimenea, que tendrá 12 bloques de alto, con bloques de cobre oxidado cortado, así como escaleras y losas. Deja un hueco en la parte baja.

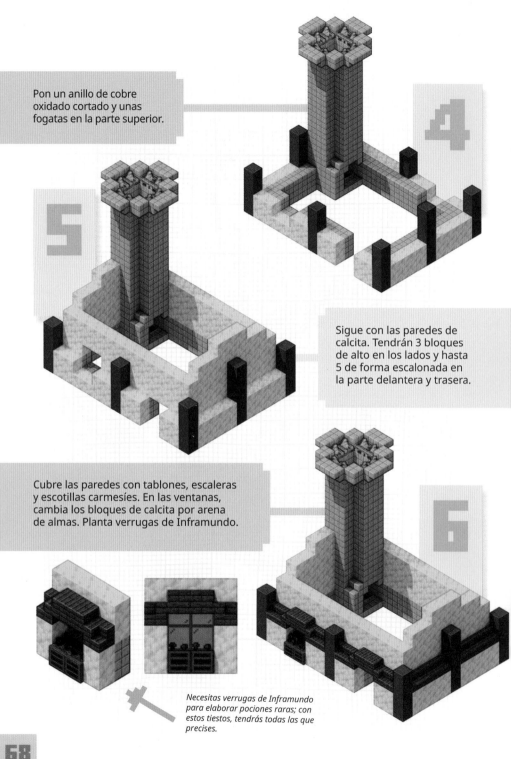

Pon un anillo de cobre oxidado cortado y unas fogatas en la parte superior.

Sigue con las paredes de calcita. Tendrán 3 bloques de alto en los lados y hasta 5 de forma escalonada en la parte delantera y trasera.

Cubre las paredes con tablones, escaleras y escotillas carmesíes. En las ventanas, cambia los bloques de calcita por arena de almas. Planta verrugas de Inframundo.

Necesitas verrugas de Inframundo para elaborar pociones raras; con estos tiestos, tendrás todas las que precises.

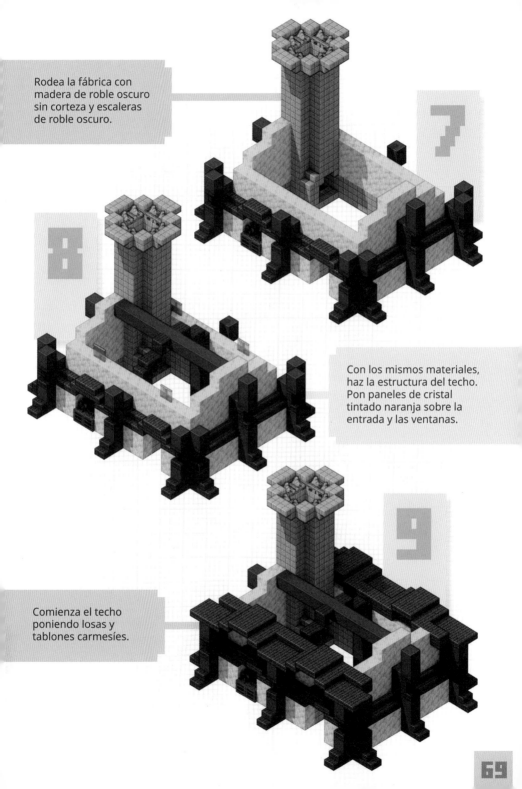

Rodea la fábrica con madera de roble oscuro sin corteza y escaleras de roble oscuro.

Con los mismos materiales, haz la estructura del techo. Pon paneles de cristal tintado naranja sobre la entrada y las ventanas.

Comienza el techo poniendo losas y tablones carmesíes.

Acaba el techo con
los mismos bloques
y crea un arco poco
pronunciado. Levanta
dos chimeneas más
pequeñas con bloques
de cobre oxidado cortado
y encerado, fogatas y
escotillas carmesíes.

Por último, cuelga
linternas en cada
esquina del edificio
y pon hojas de
azalea en flor por
las paredes.

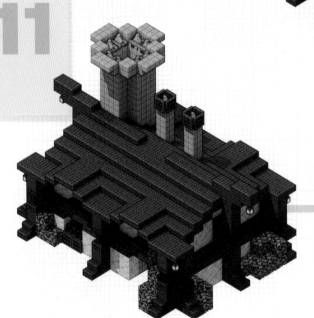

INTERIOR

Esta fábrica está equipada para elaborar cualquier poción que te pueda hacer falta. ¡Reúne los ingredientes y manos a la obra!

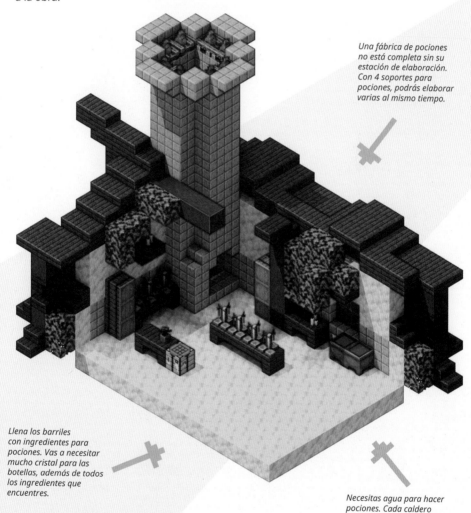

Una fábrica de pociones no está completa sin su estación de elaboración. Con 4 soportes para pociones, podrás elaborar varias al mismo tiempo.

Llena los barriles con ingredientes para pociones. Vas a necesitar mucho cristal para las botellas, además de todos los ingredientes que encuentres.

Necesitas agua para hacer pociones. Cada caldero llena tres botellas para la elaboración.

EL POZO DE LOS DESEOS

Según la tradición, los pozos de los deseos son unos lugares mágicos donde los deseos pueden hacerse realidad si lanzas una moneda a su interior. Si echas la tuya a este pozo, lo que más deseas tal vez se haga realidad. ¡Y ya verás lo que pasa si lanzas algo de oro!

DIFICULTAD:
★★★★★
🕑 10 minutos

1

Cava un hoyo en el suelo de 6×3 y 6 bloques de profundidad. Haz el circuito de redstone con ladrillos de piedra, antorchas, polvo y comparador de redstone, un dispensador, un cofre y un embudo.

Cuando eches un objeto al pozo, será recogido por el embudo.

3 bloques

6 bloques

Con ladrillos de piedra, de piedra musgosa y adoquines musgosos, construye un pozo hasta el embudo. Usa más variantes de los ladrillos de piedra, como losas y tablones deformados, para el tejado del pozo.

2

Llena el dispensador con pociones de salpicadura para recompensar a los que pidan un deseo.

3

Por último, camufla el agujero con hierba y el dispensador con una alfombra de musgo. Pon hojas alrededor del pozo para que dé la sensación de que lleva siglos ahí.

LOS CIRCUITOS DE REDSTONE

Shhh..., ¡este pozo de los deseos no es mágico! Funciona por dos circuitos de redstone que puedes usar en tus creaciones de redstone.

El primer circuito es el receptor de señal. Cuando tiras un objeto al pozo, este es recogido por el embudo. Cuando esto ocurre, el comparador de redstone recibe una señal del embudo.

El segundo circuito es el elevador de señal. El polvo y la antorcha de redstone llevan la señal desde el comparador hasta el dispensador, que luego lanzará una recompensa.

EL CARRUSEL

¡Este carrusel podría ser la mejor atracción de feria de redstone que existe! Con unas vagonetas y unos mecanismos de redstone, podrás crear este carrusel para que montes con tus amigos. ¡Y acuérdate de recompensar a los lavagantes con algunos hongos deformados!

DIFICULTAD:
★★★☆☆

🕐 20 minutos

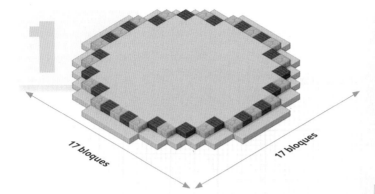

1

17 bloques

17 bloques

Para comenzar, coloca los cimientos del carrusel con losas de arenisca lisa, tablones de mangle y ladrillos de prismarina, como ves aquí.

2

Alza las paredes con bloques y escaleras de prismarina, lana roja y amarilla y tablones de mangle.

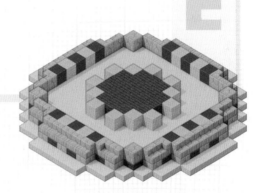

3

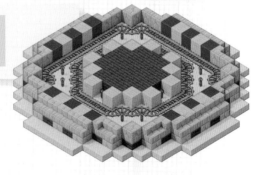

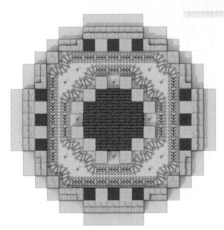

Construye el circuito de redstone utilizando raíles, raíles propulsados y antorchas de redstone.

Toca sumar lavagantes a la atracción. Pon 5 vagonetas en los raíles y usa huevos de lavagante para generar 5 lavagantes. Mételos en las vagonetas y, después, ponles una montura a cada uno.

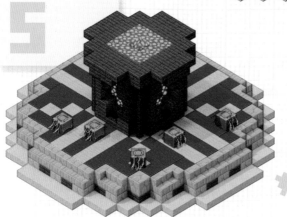

Cubre el suelo con alfombras rojas y amarillas. Haz una estructura central de 5×5×5 con tablones, escaleras y vallas de mangle y deja huecos en las paredes. Llena la estructura de piedras brillantes.

¡Las vagonetas se moverán aunque los lavagantes y las alfombras estén en medio!

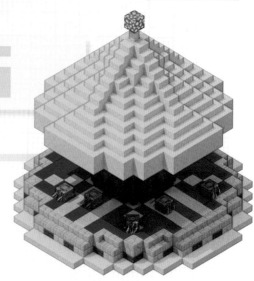

Construye un tejado de 13×13 como en la imagen con arenisca lisa y escaleras de arenisca lisa. Corónalo con una pared de arenisca y una piedra brillante.

7

Ilumina el conjunto con linternas y varas del End sujetas a las vallas de mangle.

8

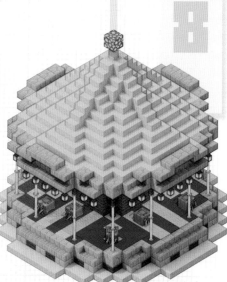

Rodea el tejado con un anillo de bloques de ladrillos, escaleras y losas de prismarina.

CORRAL DE LAVA

Los lavagantes se sentirán como en casa en este corralito de lava, al que podrán ir a calentarse. Usa los mismos materiales que en el carrusel para que las dos estructuras encajen estéticamente.

LA ISLA DE LAS CABEZAS DE LOS ALDEANOS

Los exploradores de biomas saben que en cada dimensión hay desperdigadas pirámides antiguas y ruinas decrépitas, pero ¿conoces la isla de las cabezas de los aldeanos? Aún hoy, no se sabe quién construyó estas estructuras. Es un misterio que trae de cabeza a la gente.

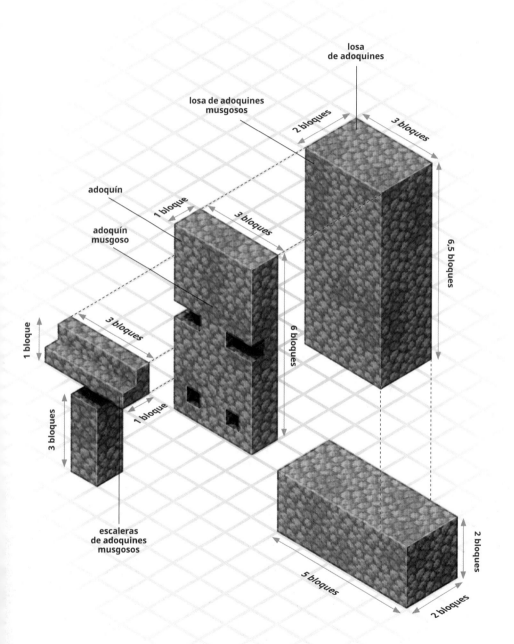

losa
de adoquines

losa de adoquines
musgosos

2 bloques

3 bloques

6,5 bloques

adoquín

1 bloque

3 bloques

adoquín
musgoso

6 bloques

1 bloque

3 bloques

1 bloque

3 bloques

escaleras
de adoquines
musgosos

2 bloques

5 bloques

2 bloques

EL RELOJ DE PIE GIGANTE

¿Este reloj de pie es también un reloj de cuco? ¡Pues sí! Este reloj de pie cuenta con un circuito de redstone que conecta un detector de luz diurna a un dispensador; gracias a esto, unas gallinas salen volando de él cada mañana para darte los buenos días.

DIFICULTAD:
★★★★★
🕐 1 hour

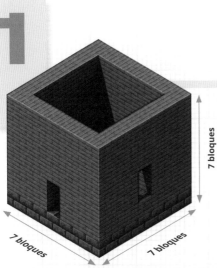

1

Construye la base de la torre del reloj con ladrillos de pizarra abismal y tablones de abeto. Recuerda dejar los huecos para una puerta y una ventana.

7 bloques

7 bloques

7 bloques

2

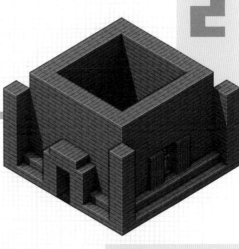

Construye una entrada con unos tablones, unas escaleras y una puerta de abeto, y fabrica una ventana con paneles de cristal y escotillas de abeto para las persianas.

3

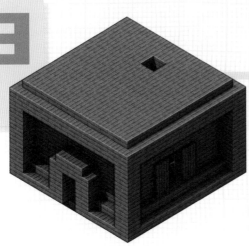

Cubre el suelo sobre la base con tablones, escaleras y losas de abeto. Deja hueco para una escalera de mano.

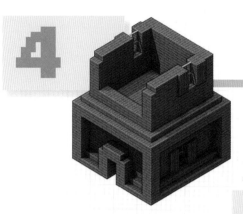

4

Ahora, construye tres paredes de 4 bloques de altura sobre la base de la torre, con la misma clase de bloques que ya hemos usado. Pon ventanas en dos lados. A continuación, añade una hilera de tablones de abeto en la pared que falta.

5

Eleva 6 bloques más las paredes, como ves aquí. Añade vallas de abeto en las dos esquinas traseras, como detalle.

6

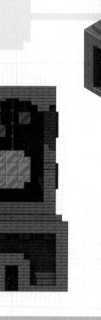

Para empezar a construir el reloj, llena la torre de hormigón gris, como ves aquí; después, haz la campana con bloques de cobre encerado, escaleras de cobre cortado encerado y pararrayos.

Continúa elevando la torre del reloj otros 8 bloques más, con tablones, escaleras y losas de abeto.

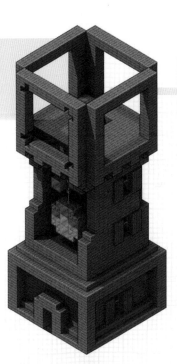

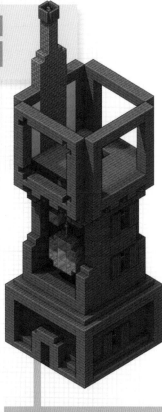

En el lado izquierdo, haz una chimenea de 15 bloques de alto con bloques y escaleras de ladrillo, cuarzo liso, escotillas de abeto y una antorcha.

Rellena las cuatro paredes con cuarzo liso y deja huecos para las ventanas.

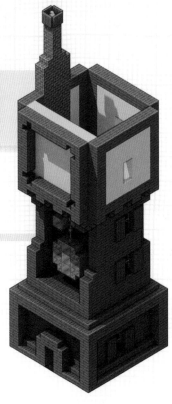

10

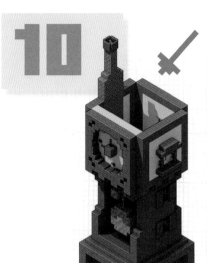

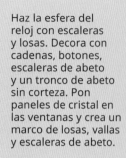

Haz la esfera del reloj con escaleras y losas. Decora con cadenas, botones, escaleras de abeto y un tronco de abeto sin corteza. Pon paneles de cristal en las ventanas y crea un marco de losas, vallas y escaleras de abeto.

11

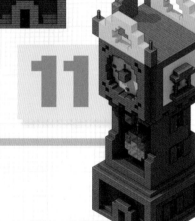

En la parte superior, haz el contorno del tejado con cuarzo liso, tablones de abeto y vallas de abeto.

12

Llena el dispensador de huevos de gallinas, ¡así una saldrá disparada cuando salga el sol!

Pon un dispensador sobre el reloj, y conéctalo a un detector de luz diurna con polvo de redstone.

13.

Empieza el tejado con escaleras de ladrillo y losas de ladrillo de pizarra abismal.

14.

Por último, completa el tejado utilizando cuarzo liso.

INTERIOR

Un reloj enorme que lanza gallinas llamará la atención de otros jugadores. Diseña el interior para que puedan sentirse a gusto al visitarlo.

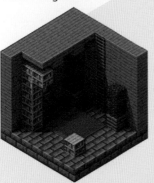

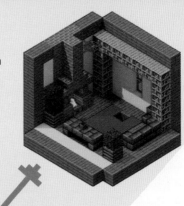

Añade estanterías con libros, alfombras y plantas para que el interior resulte acogedor.

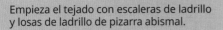

Haz una chimenea con una fogata, ladrillos y escaleras de ladrillo. Añade una maceta con una planta, bancos e incluso una telaraña.

EL MANANTIAL TERMAL

Aaah.., un relajante baño en aguas termales. ¡Justo lo que el médico me recomendó! Olvídate de tus preocupaciones mientras disfrutas de estas aguas poco profundas; después, sécate junto a las fogatas antes de cobijarte bajo la sombra de tu chalé. Luego, ¡hazlo otra vez!

DIFICULTAD:
★★★☆☆
🕐 45 minutos

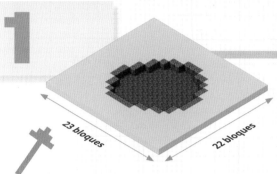

Busca una zona plana y amplia; lo mejor sería en un bioma nevado. Empieza construyendo el primer estanque de aguas termales con arena de almas y basalto.

23 bloques

22 bloques

La arena de almas proporcionará burbujas al agua de tus termas.

Añade otro estanque con arena de almas y basalto.

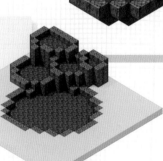

Añade otros tres con los mismos materiales; cada uno debe ser un bloque más alto que el anterior.

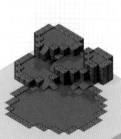

Llena los estanques con un cubo de agua y quita bloques de basalto para que el agua descienda.

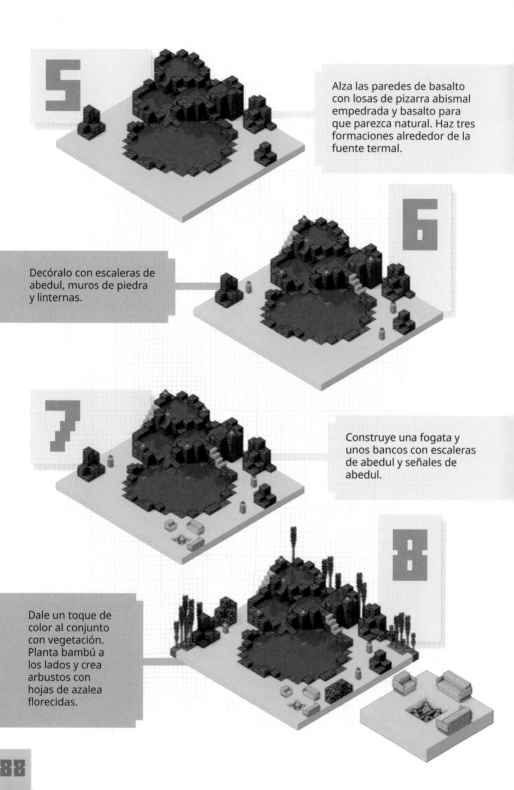

5

Alza las paredes de basalto con losas de pizarra abismal empedrada y basalto para que parezca natural. Haz tres formaciones alrededor de la fuente termal.

6

Decóralo con escaleras de abedul, muros de piedra y linternas.

7

Construye una fogata y unos bancos con escaleras de abedul y señales de abedul.

8

Dale un toque de color al conjunto con vegetación. Planta bambú a los lados y crea arbustos con hojas de azalea florecidas.

PARTE 2
CHALÉ

1

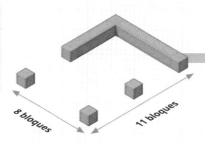

8 bloques

11 bloques

Ahora, construye los cimientos del chalé con troncos de abedul sin corteza.

Con bloques de adoquines, haz seis pilares de 3 bloques de alto en el frente y de 4 detrás. Cubre el suelo con losas de abedul.

2

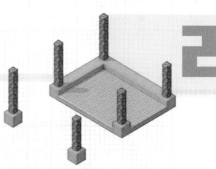

3

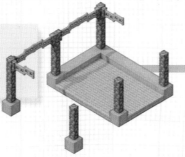

Pon puertas de valla de abedul sobre las paredes, como ves aquí.

Por último, construye el tejado con losas y bloques de granito pulido. Luego, cuelga linternas dentro.

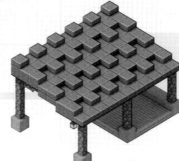

4

RETOS COMBINADOS

Felicidades por haber completado todas las construcciones de este libro. Estás hecho todo un arquitecto. ¡Pero hay más! Atrévete con este nuevo reto: combina construcciones para crear otras nuevas.

A continuación, te presentamos varios retos combinados. En cada uno, queremos que combines las construcciones siguiendo las instrucciones y los consejos incluidos en este libro. Tú decides cómo combinar las construcciones: puedes cambiarles el tamaño, escoger bloques nuevos o mejorar sus diseños.

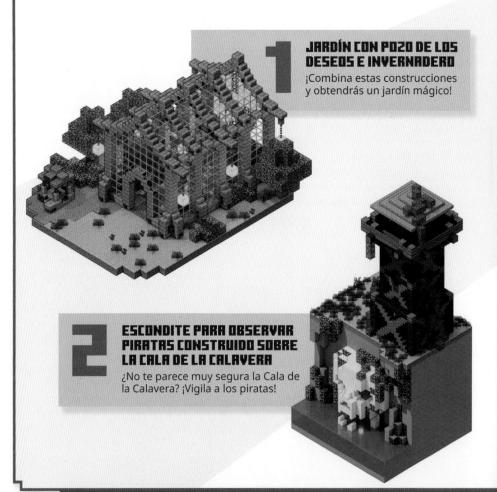

1 JARDÍN CON POZO DE LOS DESEOS E INVERNADERO

¡Combina estas construcciones y obtendrás un jardín mágico!

2 ESCONDITE PARA OBSERVAR PIRATAS CONSTRUIDO SOBRE LA CALA DE LA CALAVERA

¿No te parece muy segura la Cala de la Calavera? ¡Vigila a los piratas!

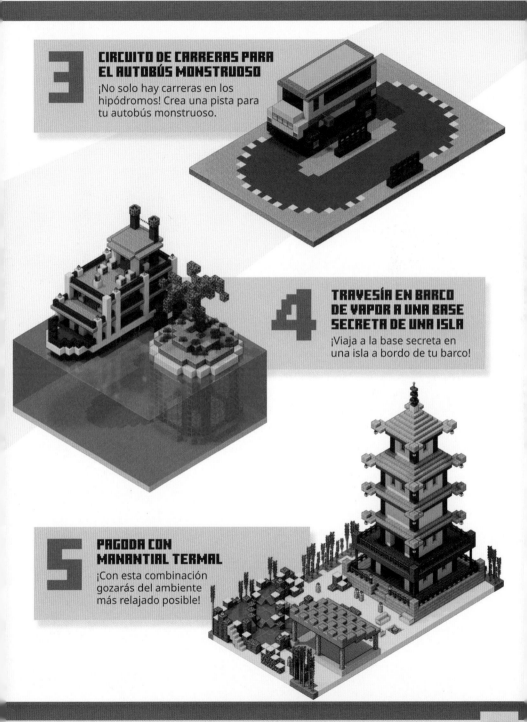

3 CIRCUITO DE CARRERAS PARA EL AUTOBÚS MONSTRUOSO

¡No solo hay carreras en los hipódromos! Crea una pista para tu autobús monstruoso.

4 TRAVESÍA EN BARCO DE VAPOR A UNA BASE SECRETA DE UNA ISLA

¡Viaja a la base secreta en una isla a bordo de tu barco!

5 PAGODA CON MANANTIAL TERMAL

¡Con esta combinación gozarás del ambiente más relajado posible!

ADIÓS

¡Qué construcciones tan geniales y divertidas has diseñado! Calas de piratas, hipódromos, carruseles... El Mundo superior nunca había sido tan entretenido. Y gracias a las pagodas, al reloj de pie y las estatuas, ¡nunca había sido tan bonito!

Ahora te toca a ti ser creativo. Cada una de estas construcciones puede ser mejorada; para ello, sigue los consejos e instrucciones que te hemos dado y haz que se adapten mejor a tus necesidades. Quizás tu ascensor submarino tenga que descender más, o la Cala de la Calavera solo sea la entrada a una guarida más amplia.

Recuerda que tienes libertad total para crear en Minecraft. ¡Todas las ideas son bien recibidas! Tú eres el amo de tu mundo. Así que sigue construyendo, creando y desarrollando ideas. ¡Recuerda que estás aquí para disfrutar y no pongas límites a tu imaginación!